# Libertinagem

Manuel Bandeira e seu busto, feito pelo poeta Dante Milano, na década de 1950.

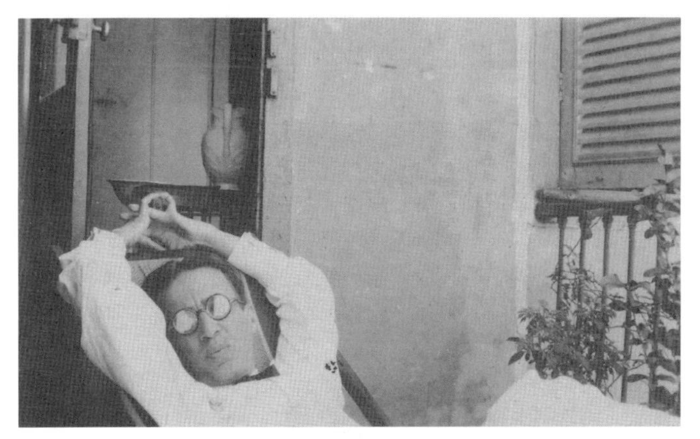

Manuel Bandeira, década de 1920.

Na casa de Gilberto Freyre, para quem Bandeira escreveu
"Evocação do Recife" sob encomenda, nos anos 1920.

Manuel Bandeira na década de 1960.

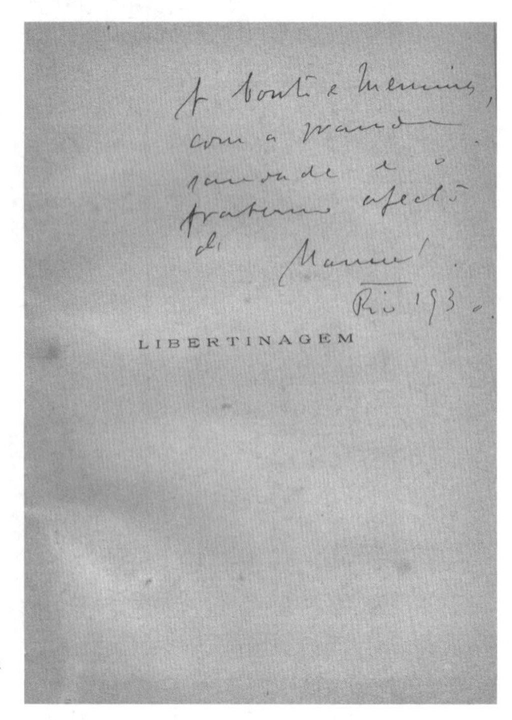

LIBERTINAGEM

Frontispício de *Libertinagem*, com dedicatória a Ribeiro Couto.

MANUEL BANDEIRA

LIBE
RTIN
AGEM

PAULO, PONGETTI & C.
RIO DE JANEIRO
1930

Capa da primeira edição de *Libertinagem*, 1930.

Maria Cândida, irmã de Manuel Bandeira, a quem dedica o poema "O anjo da guarda".

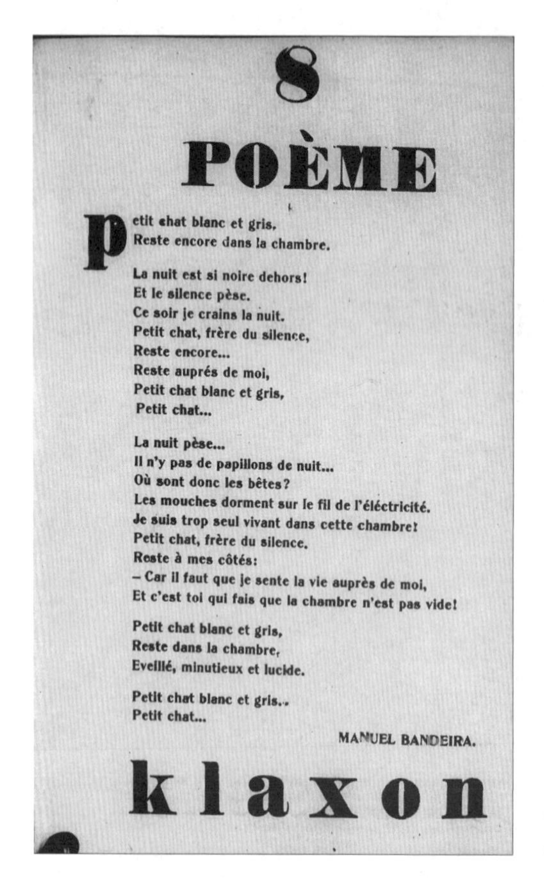

8

**POÈME**

Petit chat blanc et gris,
Reste encore dans la chambre.

La nuit est si noire dehors!
Et le silence pèse.
Ce soir je crains la nuit.
Petit chat, frère du silence,
Reste encore...
Reste auprés de moi,
Petit chat blanc et gris,
Petit chat...

La nuit pèse...
Il n'y pas de papillons de nuit...
Où sont donc les bêtes?
Les mouches dorment sur le fil de l'éléctricité.
Je suis trop seul vivant dans cette chambre!
Petit chat, frère du silence.
Reste à mes côtés:
– Car il faut que je sente la vie auprès de moi,
Et c'est toi qui fais que la chambre n'est pas vide!

Petit chat blanc et gris,
Reste dans la chambre,
Eveillé, minutieux et lucide.

Petit chat blanc et gris..
Petit chat...

MANUEL BANDEIRA.

**klaxon**

Poema "Chambre vide", publicado na revista modernista *Klaxon*, de 15 de setembro de 1922, ainda com o título "Poème".

# HOMENS E LIVROS

**HILDON ROCHA**

## O HUMANISMO DE MANN

SILVIO ROMERO

Como humanista, Thomas Mann vê, sobretudo, o homem. Ou seja, a pessoa humana, fração e síntese que ela é do total — a humanidade — para a qual espera, fiel ainda ao humanismo, um melhor destino e caminhos mais largos. A sua posição, neste ponto, não se convencionaliza por meio de um tipo representativo do seu pensamento — e que seja perfeito, infalível ou extraordinário.

Em "A Montanha Mágica", por exemplo, o personagem que encarna o humanismo, a república liberal e os "belos princípios", não deixa de ter o seu lado ridículo. O riso e a ironia do romancista não o poupam sequer, apesar de conterem-se em plano de maior finura e sutileza. Thomas Mann se coloca, antes de tudo, na sua verdadeira situação, que é a de um autêntico romancista. Um romancista que vê o homem na sua relatividade, na relatividade do seu comportamento, dos sentimentos e da sua dignidade.

Por isso mesmo pode êle parecer desconcertante ao leitor que abra o livro esperando encontrar intérpretes respeitáveis e magníficos das idéias do autor, aqui e ali mais conhecidas que os seus romances. Desde o primeiro contacto, outra não vem sendo a minha reação. Diante de Settembrini — o defensor, nas discussões e conversas, das tradições do liberalismo e do "homo humanus" — o leitor vacilará em concluir se é êle uma pessoa admirável ou se um pobre energúmeno de noções mal assimiladas.

Entre risível e respeitável, figurando uma eloquência bem próxima da demagogia, hesitamos em prever se a êle coube a dignificação ou a mistificação dos "ideais" que defende.

### S. ROMERO QUIS SER DEPUTADO

RIO BRANCO

Tendo sonhado com uma cadeira de deputado, Silvio Romero procurou proteção eleitoral junto ao grande prestígio do barão do Rio Branco. O mestre da "História da Literatura Brasileira" já contava cinquenta e dois anos, vivendo pleno gôzo da notoriedade, mas nem isso o socorreu. Não foi eleito. Leiamos as duas cartas que seguem:

1 de junho de 1903

Caro Mestre e Chefe, saúde.

Ainda uma vez venho pôr sob sua valiosa proteção uma pretensão eleitoral. E' muito simples: vagos os quatro lugares de deputados da Capital Federal pelo 2º distrito, pretendo entrar na chapa de um dos grupos. Existem dois: um chefiado pelo senador Barata Ribeiro e ex-deputado Irineu Machado; outro pelo senador Tomaz Delfino. E' na chapa dêste que pretendo ser incluído e para isso é bastante que por tal se manifeste junto a Delfino e Seabra e o Bulhões, seus colegas de govêrno. Tenho relações com os dois, mas além de não me sentir com a fôrça suficiente perante êles, não me resta dúvida que uma palavra do meu caro Mestre no assunto seria vitória certa. Tenho 25 anos de Rio de Janeiro, sempre no magistério, e já fui uma vez candidato por aqui. Peço a sua intervenção forte para com Seabra e Bulhões, amigos de T. Delfino.

De seu amigo e admirador obrigado

SILVIO ROMEHO

6 de junho de 1903.

Meu caro Mestre e Chefe, saúde.

Recebi sua adoravel carta em que lembra o acontecido com seu venerando Pai em 1861 em Sergipe e dá-me notícia do que já fez em prol de minha pretensão! Lance nobre. Peço-lhe, pois, mil desculpas, por vir de novo insistir na causa. E' que por meu percuciente estudo da questão, bem estou a ver que só V. Ex. é capaz de resolver o assunto e isto deverá ser, meu caro Chanceler, diretamente com o Presidente, porquanto cheguei ao conhecimento de haver, digo-lhe em reserva, entre pessoas do govêrno clara tendência em fazer eleger Serzedelo, Lagden, Júlio do Carmo e Fonseca Hermes. Ora, os dois últimos têm certa influência local, é certo; o Serzedelo está no meu caso, isto é, é derrotado do Pará, como eu sou de Sergipe; mas por ter mérito pessoal, deve ser atendido. Já não vejo razão para querer-se tirar Lagden do grupo a que sempre pertenceu, e com o qual pleiteou nas últimas eleições, e metê-lo agora na chapa oposta!!! Vejo nisto já uma limitação da diplomacia boliviana, um manêjo a Pando... Não acha? Quero dever só ao meu caro Mestre, homem de letras, a minha eleição; e o meu sagaz Chanceler agora vê claro que a pressão deve ser dirigida sem rodeios ao Presidente. Este, mostrando empenho na coisa, todos entrarão a achá-la muito boa... Infelizmente ainda estamos nesta fase política!

De muito antigo admirador e amigo

SILVIO ROMERO

### ESTUDOS DE HISTORIA AMERICANA

Entre os valiosos trabalhos sôbre historia, editados pela Cia. Melhoramentos, de S. Paulo, destaca-se o volume de Fidelino de Figueiredo "Estudos de História Americana". Nas breves linhas com que apresenta a sua obra, diz-nos o mestre da "Literatura Portuguêsa" (da Editora "A Noite"): "Sôbre a America, para a qual se volvem hoje os olhos esperancados do mundo, sôbre a América e suas relações com Portugal se contêm neste livro alguns dados históricos e alguns juizos criticos que são como que a extensão erudita do "idearium" americanófilo do autor — que dela espera alento para um novo sentido universal da vida, superior aos nacionalismos, que a descobriram e colonizaram, superior as xenófobas solidariedades continentais". O livro se divide em cinco partes: As idéias modernas sôbre os descobrimentos geograficos dos portuguêses — A colaboração portuguêsa, no descobrimento da América do Norte — Do aspecto científico na colonização portuguêsa da America — m século de relações luso-brasileiras (1825-1925) — Relações históricas entre Portugal e os Estados nidos

### MANUEL BANDEIRA E OS SETENTA

O poeta Manuel Bandeira, que espera a morte desde os vinte e poucos anos, revelou-se o tísico mais estranho e desconcertante da poesia brasileira: chegou aos sessenta e sete, aproximando-se risonhamente dos setenta, de onde é quase certo marchará para os oitenta. Um dos temas mais constantes de sua poesia (é a perda "da vida que podia ter sido", de onde se refugia no sentimento e na espera da morte, que dêle vem zombando, como mulher que foge à medida que é esperada. Dêle, agudamente precisou Alvaro Lins: "Como Baudelaire, o Sr. Manuel Bandeira significa: um poeta que harmonisa e equilibra o delírio e a razão, o animus e a anima (sentido claudeliano); um poeta que é clássico e moderno ao mesmo tempo, participando das velhas formas de poesia e lançando formas novas, não só para o presente como para o futuro; um poeta que está no centro de uma época e que tem sido raiz e ponto de partida para numerosos poetas mais novos. Diferente de Baudelaire, o Sr. Manuel Bandeira se apresenta em muitos aspectos, que não importa agora precisar, mas sobretudo neste: que Baudelaire encontrou uma significação para o seu sofrimento, enquanto o sofrimento do Sr. Manuel Bandeira se fecha em si mesmo. O que faz do Sr. Manuel Bandeira um poeta muito mais solitário, muito mais individualista, muito mais áspero do que Baudelaire". Recordemos, pois, alguns poemas de Bandeira:

### PNEUMOTORAX

Febre, hemoptise, dispnéia e suores noturnos.
A vida inteira que podia ter sido e que não foi.
Tosse, tosse, tosse.

Mandou chamar o médico:
— Diga trinte e três.
— Trinta e três... trinta e três... trinta e três...
— Respire.

— O Sr. tem uma excavação no pulmão esquerdo e o pulmão direito infiltrado.
— Então, doutor, não é possível tentar o pneumotorax?
— Não. A única coisa a fazer é tocar um tango argentino.

### IRENE NO CEU

Irene prêta
Irene boa
Irene sempre de bom humor.

Imagino Irene entrando no céu:
— Licença, meu branco!
E São Pedro, bonachão:
— Entra, Irene. Você não precisa pedir licença.

### POEMA DE FINADOS

Amanhã que é dia dos mortos
Vai ao cemitério. Vai
E procura entre as sepulturas
A sepultura de meu pai.

Leva três rosas bem bonitas.
Ajoelha e reza uma oração.
Não pelo pai, mas pelo filho:
O filho tem mais precisão.

O que resta de mim na vida
E' a amargura do que sofri.
Pois nada quero, nada espero,
E em verdade estou morto ali.

MANUEL BANDEIRA

Indicação de leitura de poemas de *Libertinagem* publicada no jornal *A Noite Ilustrada*, de 5 de maio de 1953, evidenciando a relevância da obra 23 anos após seu lançamento.

Manuel Bandeira em seu quarto, no Rio de Janeiro, na década de 1950 (p. 8 e 9).

# Manuel Bandeira

## Libertinagem

Apresentação
Braulio Tavares

Coordenação Editorial
André Seffrin

2ª Edição, Global Editora, São Paulo 2013
7ª Reimpressão, 2024

**Jefferson L. Alves** – diretor editorial
**Gustavo Henrique Tuna** – editor-assistente
**André Seffrin** – coordenação editorial, estabelecimento de texto, cronologia e bibliografia
**Flávio Samuel** – gerente de produção
**Julia Passos** – assistente editorial
**Alexandra Resende e Julia Passos** – revisão
**Eduardo Okuno** – projeto gráfico

Imagens:
Capa, p. 2, 3, 4, 5, 6 (sup.), 8, 9: acervo pessoal de Manuel Bandeira, ora em guarda no Arquivo-Museu de Literatura Brasileira/Fundação Casa de Rui Barbosa-RJ.
p. 6 (inf.) e 7: Fundação Biblioteca Nacional-RJ.
p. 2: Flávio Damm.
*Todas as iniciativas foram tomadas no sentido de estabelecer-se as suas autorias, o que não foi possível em todos os casos. Caso os autores se manifestem, a editora dispõe-se a creditá-los.*
A Global Editora agradece à Solombra – Agência Literária pela gentil cessão dos direitos de imagem de Manuel Bandeira.

**CIP-BRASIL. CATALOGAÇÃO NA FONTE**
**SINDICATO NACIONAL DOS EDITORES DE LIVROS, RJ**

B166L
2. ed.

Bandeira, Manuel, 1886-1968
Libertinagem / Manuel Bandeira [apresentação Braulio Tavares]. – 2.ed. – São Paulo : Global, 2013.

ISBN 978-85-260-1889-1

1. Poesia brasileira. I. Título.

13-01188 CDD: 869.91
CDU: 821.134.3(81)-1

Obra atualizada conforme o
NOVO ACORDO ORTOGRÁFICO DA LÍNGUA PORTUGUESA

**Global Editora e Distribuidora Ltda.**
Rua Pirapitingui, 111 – Liberdade
CEP 01508-020 – São Paulo – SP
Tel.: (11) 3277-7999
e-mail: global@globaleditora.com.br

 grupoeditorialglobal.com.br
 @globaleditora
 /globaleditora
 @globaleditora
 /globaleditora
 /globaleditora
blog.grupoeditorialglobal.com.br



Nº de Catálogo: **3396**

# Libertinagem

# Bandeira: a poesia da fala

A poesia de Manuel Bandeira (1886-1968) ajudou a fazer mais suave a transição entre dois séculos e duas poéticas sucessivas. Foi um dos poetas que fizeram o verso modernista, livre e sem rima, ser aceito por quem estava acostumado à poética das formas fixas. Bandeira era cheio de recursos técnicos, e sabia usá-los de forma quase imperceptível. Seus versos dão uma impressão permanente de oralidade, de fala, seja fala dirigida a alguém ou a si próprio, murmúrio interior, comentário ácido feito à parte, cantarolar distraído de quem tenta lembrar uma coisa, conversa mansa ao entardecer, confidência lírica, humor jovial e folgazão de balcão de café ou mesa de bar.

*Libertinagem*, seu quarto livro de poesia, é tido como o primeiro que é totalmente afinado com a poesia modernista do grupo da Semana de Arte Moderna de 1922, que via em Bandeira, um pouco mais velho e mais ponderado, uma espécie de precursor ou padrinho. Bandeira era ligado ao grupo por numerosas amizades pessoais, mas parece que não tinha muito entusiasmo por ações programáticas, por "movimentos". Sua aproximação do Modernismo não era uma adesão política, era uma busca do cultivo de um gosto estético em comum. Uma construção de afinidades.

A primeira edição do livro trazia as doze letras do título divididas em três linhas: LIBE – RTIN – AGEM. À primeira vista a palavra parece mutilada, partida em lugares onde não costumamos vê-la partida pela divisão correta de sílabas; mas, e daí? É apenas um título, impresso na capa de um livro, algo que agora é metade imagem e metade texto. E essa divisão antigramatical não impede de ler a palavra. Esse corte artificial é o que a poesia, tanto a metrificada quanto a de verso livre, faz na linguagem. Secciona-a em fragmentos superpostos e lhes dá um ordenamento novo. A capa do livro acabou sendo uma metáfora visual do modo como o texto corrido se distribui no interior de uma estrofe.

É grande a distância entre um soneto de Olavo Bilac e um poema como "No meio do caminho" de Carlos Drummond de Andrade, mas Manuel Bandeira parece ter um poema em cada ponto desse extenso trajeto. Educado na exigente escola da forma fixa, livrou-se dela sem se livrar do que com ela aprendeu. Principalmente a intuição segura de produzir variados ritmos usando uma sucessão de frases bem articuladas. Seu verso livre é uma espécie de entrelaçamento de versos perfeitamente metrificados.

Comentando a poesia de Ascenso Ferreira, disse Bandeira em *De poetas e de poesia*: "Costuma-se falar de verso metrificado e verso livre, como se algum abismo os separasse. Ascenso é o melhor exemplo com que se possa provar que não existe esse tal abismo. Nos seus poemas, mistura ele os versos do ritmo mais martelado, os que por isso mesmo os cantadores nordestinos chamam 'martelo', com os versos livres mais ondulosos e soltos, com frases de conversa e música pelo meio."

Algo muito semelhante pode ser dito a respeito dos poemas dele próprio. Elogiando o poeta de *Xenhenhém*, não faz mais do que reconhecer o que aprendeu com um mestre e depois pôs em prática com seus próprios recursos, que também não eram poucos.

A poesia de Manuel Bandeira tem uma oralidade discreta, conversacional, diferente do recitativo impactante de Ascenso (ao que se diz, o primeiro poeta a lançar um disco em que lia em voz alta seus poemas). Os poemas de Bandeira, os de *Libertinagem* inclusive, estão cheios de coloquialismos, de falsos erros, de pedaços de versos decorados, de cantiguinhas e refrãos. Aquilo que ele chamou "língua errada do povo, língua certa do povo" era uma aspiração sua, e ele foi livro a livro acercando-se dela, sem abrir mão das outras línguas que dominava. Com isto, aproximou-se dos modernistas de São Paulo, que chegaram ao mesmo ponto, vindos de outra direção.

A música também faz parte dessa poética, e em *Libertinagem* fala-se o tempo todo em cantigas de roda, jazz-band, tango argentino, Schumann, sambas de tia Ciata, cantigas de carnaval, cavaquinho, pandeiro e reco-reco. A música entrava pelas janelas noturnas dos pequenos apartamentos em que o poeta morou a maior parte de sua vida, sempre sozinho. Diagnosticado com tuberculose aos 18 anos, passou a vida inteira sabendo (ou achando) que estava por um fio ("a vida inteira que podia ter sido e que não foi"[1]), e acabou morrendo aos 82.

Um exemplo desse ouvido fino de Bandeira (um ouvido treinado pela música, junto a um senso de estrutura de quem pretendia ser arquiteto) pode ser visto em alguns episódios em que prosa e poesia se contaminaram mutuamente em sua obra.

No livro *Lira dos cinquent'anos*, Bandeira incluiu o poema intitulado "Poema desentranhado de uma prosa de Augusto Frederico Schmidt". Numa crônica reunida em *Os reis vagabundos e mais 50 crônicas*, ele explica passo a passo como percebeu o potencial poético de um texto em prosa do amigo poeta, e, munindo-se

---

1 BANDEIRA, Manuel. "Pneumotórax". In: ______. *Libertinagem*. São Paulo: Global Editora, 2013, p. 35.

metaforicamente de tesoura e cola, remontou o texto, dando-lhe forma de poema. O poema (indica Bandeira) já estava praticamente ali, era só tirar as palavras que não lhe pertenciam e arrumar as restantes.

Já no livro *Opus 10*, ele inclui este texto cujo título é igualmente autoexplicativo: "Poema encontrado por Thiago de Mello no Itinerário de Pasárgada":

> Vênus luzia sobre nós tão grande,
>
> Tão intensa, tão bela, que chegava
>
> A parecer escandalosa, e dava
>
> Vontade de morrer.[2]

Era um texto em prosa, descrevendo uma longa viagem noturna de barco, que deu origem à "Oração no Saco de Mangaratiba", incluída em *Libertinagem*. Bandeira, como tantos poetas que têm o hábito de memorizar, de recitar, de ler em volta alta, tinha a disciplina do verso assimilada como que numa segunda natureza rítmica, em que as frases já lhe saíam formatadas naquela cadência. Os cortes feitos nas linhas destacam pausas que não eram tão audíveis assim, mas estavam lá sem dúvida, e ainda consegue encaixar uma rima (chegava/dava) que parece resultado de muito pensar.

Quando se aproxima de propósito dessa zona cinza entre a prosa, a fala oral e a poesia, Bandeira procura valorizar os mínimos indícios de entonação musical. Fez isso através da poesia escrita, na qual talvez (como na de Ascenso) algumas coisas da voz não caibam, não possam ser transpostas para a página. Mas ele fez pelo lado da literatura um tipo de aproximação que Hermeto Paschoal faria depois pela via oposta da

---

2 Idem. "Poema encontrado por Thiago de Mello no Itinerário de Pasárgada". In: ______. *Estrela da vida inteira*: poesia completa. Rio de Janeiro: Nova Fronteira, 2009, p. 216.

música, ao harmonizar com instrumentos trechos de discursos de políticos ou de locutores esportivos, com suas ênfases, suas dinâmicas, suas melodias. Ou como as canções faladas do Grupo Rumo e de Luiz Tatit, captando, reconhecendo e passando adiante as melodias de nosso falar cotidiano.

*Libertinagem* foi lançado em 1930, numa edição de quinhentos exemplares que Bandeira pagou do próprio bolso. É um livro pequeno, mas tem dois dos textos essenciais do poeta ("Vou-me embora pra Pasárgada" e "Evocação do Recife"), não necessariamente por serem os melhores, mas por terem repercutido mais. E ainda traz poemas que já se incorporaram aos nossos pontos de referência poéticos, como "O cacto" ("– Era belo, áspero, intratável."), "Poética" ("Estou farto do lirismo comedido/ Do lirismo bem-comportado/ Do lirismo funcionário público com livro de ponto expediente protocolo e manifestações de apreço ao Sr. diretor"), "Pneumotórax" ("A única coisa a fazer é tocar um tango argentino."), Teresa ("A primeira vez que vi Teresa/ Achei que ela tinha pernas estúpidas/ Achei também que a cara parecia uma perna"), "Profundamente" ("Onde estão todos eles?/ – Estão todos dormindo/ Estão todos deitados/ Dormindo/ Profundamente."), "Irene no céu" ("Irene preta/ Irene boa/ Irene sempre de bom humor."), "O último poema" ("Assim eu quereria o meu último poema").

E muitos outros, claro, porque uns poemas nos chamam mais, outros menos, cada um tem seus preferidos, e a poesia de Manuel Bandeira conseguiu sem alarde o que alguns autores ditos clássicos conseguem e outros não: impregnar-se à fala das pessoas, servindo como pedra de toque de uma certa maneira de falar, de cantar e de escrever. Poemas em pseudoprosa como "Poema tirado de uma notícia de jornal", "Lenda brasileira", "O major", "Noturno da Parada Amorim", "Noturno da Rua da Lapa", "Namorados" poderiam, se transcritos em texto corrido, aparecer num livro de crônicas como exemplo de crônicas curtas. Agrupados junto a poemas, acabam sendo contaminados pelo modo de leitura destes. O leitor, cujo ouvido vem arrebanhando cadências e metros ao passar pelos textos anteriores, desemboca nestes percebendo as regularidades e as simetrias métricas que estavam ali ocultas. Misturando prosa e poesia, Bandeira nos faz ler melhor tanto uma quanto a outra.

*Braulio Tavares*

# Libertinagem

## Não sei dançar

Uns tomam éter, outros cocaína.
Eu já tomei tristeza, hoje tomo alegria.
Tenho todos os motivos menos um de ser triste.
Mas o cálculo das probabilidades é uma pilhéria...
Abaixo Amiel!
E nunca lerei o diário de Maria Bashkirtseff.

Sim, já perdi pai, mãe, irmãos.
Perdi a saúde também.
É por isso que sinto como ninguém o ritmo do jazz-
[-band.

Uns tomam éter, outros cocaína.
Eu tomo alegria!
Eis aí por que vim assistir a este baile de terça-feira
[gorda.

Mistura muito excelente de chás...
Esta foi açafata...
– Não, foi arrumadeira.
E está dançando com o ex-prefeito municipal.
Tão Brasil!

De fato este salão de sangues misturados parece o
[Brasil...
Há até a fração incipiente amarela
Na figura de um japonês.
O japonês também dança maxixe:
Acugêlê banzai!
A filha do usineiro de Campos
Olha com repugnância
Para a crioula imoral.
No entanto o que faz a indecência da outra
É dengue nos olhos maravilhosos da moça.
E aquele cair de ombros...
Mas ela não sabe...
Tão Brasil!

Ninguém se lembra de política...
Nem dos oito mil quilômetros de costa...
O algodão do Seridó é o melhor do mundo?... Que
[me importa?
Não há malária nem moléstia de Chagas nem
[ancilóstomos.
A sereia sibila e o ganzá do jazz-band batuca.
Eu tomo alegria!

**Petrópolis, 1925**

## O anjo da guarda

Quando minha irmã morreu,
(Devia ter sido assim)
Um anjo moreno, violento e bom,
– brasileiro

Veio ficar ao pé de mim.
O meu anjo da guarda sorriu
E voltou para junto do Senhor.

## Mulheres

Como as mulheres são lindas!
Inútil pensar que é do vestido...
E depois não há só as bonitas:
Há também as simpáticas.
E as feias, certas feias em cujos olhos vejo isto:
Uma menininha que é batida e pisada e nunca sai
[da cozinha.

Como deve ser bom gostar de uma feia!
O mcu amor porém não tem bondade alguma.
É fraco! fraco!
Meu Deus, eu amo como as criancinhas...

És linda como uma história da carochinha...
E eu preciso de ti como precisava de mamãe e papai
(No tempo em que pensava que os ladrões moravam
[no morro atrás de casa e tinham cara de pau).

## Pensão familiar

Jardim da pensãozinha burguesa.
Gatos espapaçados ao sol.
A tiririca sitia os canteiros chatos.
O sol acaba de crestar as boninas que murcharam.
Os girassóis
                    amarelo!
                                        resistem.
E as dálias, rechonchudas, plebeias, dominicais.

Um gatinho faz pipi.
Com gestos de garçom de restaurant-Palace
Encobre cuidadosamente a mijadinha.
Sai vibrando com elegância a patinha direita:
– É a única criatura fina na pensãozinha burguesa.

**Petrópolis, 1925**

# Camelôs

Abençoado seja o camelô dos brinquedos de tostão:
O que vende balõezinhos de cor
O macaquinho que trepa no coqueiro
O cachorrinho que bate com o rabo
Os homenzinhos que jogam box
A perereca verde que de repente dá um pulo que
[engraçado
E as canetinhas-tinteiro que jamais escreverão coisa
[alguma
Alegria das calçadas

Uns falam pelos cotovelos:
– "O cavalheiro chega em casa e diz: Meu filho, vai
[buscar um pedaço de banana para eu acender o
[charuto. Naturalmente o menino pensará: Papai
[está malu..."

Outros, coitados, têm a língua atada.

Todos porém sabem mexer nos cordéis com o tino
[ingênuo de demiurgos de inutilidades.
E ensinam no tumulto das ruas os mitos heroicos
[da meninice...
E dão aos homens que passam preocupados ou
[tristes uma lição de infância.

# O cacto

Aquele cacto lembrava os gestos desesperados da
[estatuária:
Laocoonte constrangido pelas serpentes,
Ugolino e os filhos esfaimados.
Evocava também o seco Nordeste, carnaubais,
[caatingas...
Era enorme, mesmo para esta terra de feracidades
[excepcionais.

Um dia um tufão furibundo abateu-o pela raiz.
O cacto tombou atravessado na rua,
Quebrou os beirais do casario fronteiro,
Impediu o trânsito de bondes, automóveis, carroças,
Arrebentou os cabos elétricos e durante vinte e
[quatro horas privou a cidade
[de iluminação e energia:

– Era belo, áspero, intratável.

**Petrópolis, 1925**

# Pneumotórax

Febre, hemoptise, dispneia e suores noturnos.
A vida inteira que podia ter sido e que não foi.
Tosse, tosse, tosse.

Mandou chamar o médico:
– Diga trinta e três.
– Trinta e três... trinta e três... trinta e três...
– Respire.
..........................................................................................
– O senhor tem uma escavação no pulmão esquerdo
[e o pulmão direito infiltrado.
– Então, doutor, não é possível tentar o pneumotórax?
– Não. A única coisa a fazer é tocar um tango
[argentino.

## Comentário musical

O meu quarto de dormir a cavaleiro da entrada da
[barra.

Entram por ele dentro
Os ares oceânicos,
Maresias atlânticas:
São Paulo de Luanda, Figueira da Foz, praias
[gaélicas da Irlanda...

O comentário musical da paisagem só podia ser o
[sussurro sinfônico da vida civil.

No entanto o que ouço neste momento é um silvo
[agudo de saguim:
Minha vizinha de baixo comprou um saguim.

## Poética

Estou farto do lirismo comedido
Do lirismo bem-comportado
Do lirismo funcionário público com livro de ponto
[expediente protocolo e manifestações
[de apreço ao sr. diretor

Estou farto do lirismo que para e vai averiguar no
[dicionário o cunho vernáculo de um vocábulo

Abaixo os puristas

Todas as palavras sobretudo os barbarismos
[universais
Todas as construções sobretudo as sintaxes de
[exceção
Todos os ritmos sobretudo os inumeráveis

Estou farto do lirismo namorador
Político
Raquítico
Sifilítico
De todo lirismo que capitula ao que quer que seja
[fora de si mesmo.

De resto não é lirismo
Será contabilidade tabela de cossenos secretário
[do amante exemplar com cem modelos
[de cartas e as diferentes maneiras
[de agradar às mulheres, etc.

Quero antes o lirismo dos loucos
O lirismo dos bêbedos
O lirismo difícil e pungente dos bêbedos
O lirismo dos clowns de Shakespeare

– Não quero mais saber do lirismo que não é
[libertação.

# Chambre vide

Petit chat blanc et gris
Reste encore dans la chambre
La nuit est si noire dehors
Et le silence pèse

Ce soir je crains la nuit
Petit chat frère du silence
Reste encore
Reste auprès de moi
Petit chat blanc et gris
Petit chat

La nuit pèse
Il n'y a pas de papillons de nuit
Où sont donc ces bêtes?
Les mouches dorment sur le fil de l'électricité
Je suis trop seul vivant dans cette chambre
Petit chat frère du silence
Reste à mes côtés
Car il faut que je sente la vie auprès de moi
Et c'est toi qui fais que la chambre n'est pas vide
Petit chat blanc et gris
Reste dans la chambre
Eveillé minutieux et lucide
Petit chat blanc et gris
Petit chat.

**Petrópolis, 1922**

## Bonheur lyrique

Cœur de phtisique
O mon cœur lyrique
Ton bonheur ne peut pas être comme celui des
[autres
Il faut que tu te fabriques
Un bonheur unique
Un bonheur qui soit comme le piteux lustucru en
[chiffon d'une enfant pauvre
– Fait par elle-même.

# Porquinho-da-índia

Quando eu tinha seis anos
Ganhei um porquinho-da-índia.
Que dor de coração me dava
Porque o bichinho só queria estar debaixo do fogão!
Levava ele pra sala
Pra os lugares mais bonitos mais limpinhos
Ele não gostava:
Queria era estar debaixo do fogão.
Não fazia caso nenhum das minhas ternurinhas...

– O meu porquinho-da-índia foi a minha primeira
[namorada.

# Mangue

Mangue mais Veneza americana do que o Recife
Cargueiros atracados nas docas do Canal Grande
O Morro do Pinto morre de espanto
Passam estivadores de torso nu suando facas de
[ponta
Café baixo
Trapiches alfandegados
Catraias de abacaxis e de bananas
A Light fazendo crusvaldina com resíduos de coque
Há macumbas no piche
Eh cagira mia pai
Eh cagira
E o luar é uma coisa só

Houve tempo em que a Cidade Nova era mais
[subúrbio do que todas as Meritis da Baixada
Pátria amada idolatrada de empregadinhos de
[repartições públicas
Gente que vive porque é teimosa
Cartomantes da Rua Carmo Neto
Cirurgiões-dentistas com raízes gregas nas tabuletas
[avulsivas
O Senador Eusébio e o Visconde de Itaúna já se
[olhavam com rancor

(Por isso
Entre os dois
Dom João VI mandou plantar quatro renques de
[palmeiras-imperiais)
Casinhas tão térreas onde tantas vezes meu Deus fui
[funcionário público casado com mulher
[feia e morri de tuberculose pulmonar
Muitas palmeiras se suicidaram porque não viviam
[num píncaro azulado.
Era aqui que choramingavam os primeiros choros
[dos carnavais cariocas.
Sambas da tia Ciata
Cadê mais tia Ciata
Talvez em Dona Clara meu branco
Ensaiando cheganças pra o Natal
O menino Jesus – Quem sois tu?
O preto – Eu sou aquele preto principá do
[centro do cafange do fundo
[do rebolo. Quem sois tu?
O menino Jesus – Eu sou o fio da Virge Maria.
O preto – Entonces como é fio dessa senhora,
[obedeço.
O menino Jesus – Entonces cuma você
[obedece, reze aqui um
[terceto pr'esse exerço vê.
O Mangue era simplesinho

Mas as inundações dos solstícios de verão
Trouxeram para Mata-Porcos todas as uiaras da
[Serra da Carioca
Uiaras do Trapicheiro
Do Maracanã
Do rio Joana
E vieram também sereias de além-mar jogadas pela
[ressaca nos aterrados da Gamboa
Hoje há transatlânticos atracados nas docas do
[Canal Grande
O Senador e o Visconde arranjaram capangas
Hoje se fala numa porção de ruas em que dantes
[ninguém acreditava
E há partidas para o Mangue
Com choros de cavaquinho, pandeiro e reco-reco
És mulher
És mulher e nada mais

OFERTA

Mangue mais Veneza americana do que o Recife
Meriti meretriz
Mangue enfim verdadeiramente Cidade Nova
Com transatlânticos atracados nas docas do Canal
[Grande
Linda como Juiz de Fora!

## Belém do Pará

Bembelelém
Viva Belém!

Belém do Pará porto moderno integrado na
[equatorial
Beleza eterna da paisagem

Bembelelém
Viva Belém!

Cidade pomar
(Obrigou a polícia a classificar um tipo novo de
[delinquente:
O apedrejador de mangueiras)

Bembelelém
Viva Belém!

Belém do Pará onde as avenidas se chamam
[Estradas:
Estrada de São Jerônimo
Estrada de Nazaré

Onde a banal Avenida Marechal Deodoro da
[Fonseca de todas as cidades do Brasil
Se chama liricamente

Brasileiramente
Estrada do Generalíssimo Deodoro

Bembelelém
Viva Belém!
Nortista gostosa
Eu te quero bem.

Terra da castanha
Terra da borracha
Terra de biribá bacuri sapoti
Terra de fala cheia de nome indígena
Que a gente não sabe se é de fruta pé de pau ou ave
[de plumagem bonita.

Nortista gostosa
Eu te quero bem.

Me obrigarás a novas saudades
Nunca mais me esquecerei do teu Largo da Sé
Com a fé maciça das duas maravilhosas igrejas
[barrocas
E o renque ajoelhado de sobradinhos coloniais tão
[bonitinhos

Nunca mais me esquecerei
Das velas encarnadas
Verdes
Azuis
Da doca de Ver-o-Peso
Nunca mais

E foi pra me consolar mais tarde
Que inventei esta cantiga:

> Bembelelém
> Viva Belém!
> Nortista gostosa
> Eu te quero bem.

**Belém, 1928**

# Evocação do Recife

Recife
Não a Veneza americana
Não a Mauritsstad dos armadores das Índias
[Ocidentais
Não o Recife dos Mascates
Nem mesmo o Recife que aprendi a amar depois –
Recife das revoluções libertárias
Mas o Recife sem história nem literatura
Recife sem mais nada
Recife da minha infância

A Rua da União onde eu brincava de chicote-
[-queimado e partia as vidraças
[da casa de dona Aninha Viegas
Totônio Rodrigues era muito velho e botava o
[pincenê na ponta do nariz
Depois do jantar as famílias tomavam a calçada com
[cadeiras, mexericos, namoros, risadas
A gente brincava no meio da rua
Os meninos gritavam:

Coelho sai!
Não sai!

À distância as vozes macias das meninas politonavam:

Roseira dá-me uma rosa
Craveiro dá-me um botão

(Dessas rosas muita rosa
Terá morrido em botão...)

De repente
nos longes da noite
um sino

Uma pessoa grande dizia:
Fogo em Santo Antônio!
Outra contrariava: São José!
Totônio Rodrigues achava sempre que era São José.
Os homens punham o chapéu saíam fumando
E eu tinha raiva de ser menino porque não podia ir
[ver o fogo

Rua da União...
Como eram lindos os nomes das ruas da minha
[infância
Rua do Sol
(Tenho medo que hoje se chame do Dr. Fulano de Tal)
Atrás de casa ficava a Rua da Saudade...
... onde se ia fumar escondido

Do lado de lá era o cais da Rua da Aurora...
... onde se ia pescar escondido
Capiberibe
– Capibaribe
Lá longe o sertãozinho de Caxangá
Banheiros de palha

Um dia eu vi uma moça nuinha no banho
Fiquei parado o coração batendo
Ela se riu
Foi o meu primeiro alumbramento

Cheia! As cheias! Barro boi morto árvores destroços
[redomoinho sumiu
E nos pegões da ponte do trem de ferro os caboclos
[destemidos em jangadas de bananeiras

Novenas
Cavalhadas
Eu me deitei no colo da menina e ela começou a
[passar a mão nos meus cabelos
Capiberibe
– Capibaribe

Rua da União onde todas as tardes passava a preta
[das bananas
Com o xale vistoso de pano da Costa
E o vendedor de roletes de cana
O de amendoim
que se chamava midubim e não era torrado
[era cozido
Me lembro de todos os pregões:
Ovos frescos e baratos
Dez ovos por uma pataca
Foi há muito tempo...

A vida não me chegava pelos jornais nem pelos livros
Vinha da boca do povo na língua errada do povo
Língua certa do povo
Porque ele é que fala gostoso o português do Brasil
Ao passo que nós
O que fazemos
É macaquear
A sintaxe lusíada
A vida com uma porção de coisas que eu não
[entendia bem
Terras que não sabia onde ficavam

Recife...

Rua da União...

A casa de meu avô...

Nunca pensei que ela acabasse!

Tudo lá parecia impregnado de eternidade

Recife...

Meu avô morto.

Recife morto. Recife bom, Recife brasileiro como a

[casa de meu avô.

**Rio, 1925**

## Poema tirado de uma notícia de jornal

João Gostoso era carregador de feira livre e morava
[no morro da Babilônia num
[barracão sem número
Uma noite ele chegou no bar Vinte de Novembro
Bebeu
Cantou
Dançou
Depois se atirou na Lagoa Rodrigo de Freitas e
[morreu afogado.

## Teresa

A primeira vez que vi Teresa
Achei que ela tinha pernas estúpidas
Achei também que a cara parecia uma perna

Quando vi Teresa de novo
Achei que os olhos eram muito mais velhos que o
[resto do corpo
(Os olhos nasceram e ficaram dez anos esperando
[que o resto do corpo nascesse)

Da terceira vez não vi mais nada
Os céus se misturaram com a terra
E o espírito de Deus voltou a se mover sobre a face
[das águas.

## Lenda brasileira

A moita buliu. Bentinho Jararaca levou a arma à cara: o que saiu do mato foi o Veado Branco! Bentinho ficou pregado no chão. Quis puxar o gatilho e não pôde.

– Deus me perdoe!

Mas o Cussaruim veio vindo, veio vindo, parou junto do caçador e começou a comer devagarinho o cano da espingarda.

# A Virgem Maria

O oficial do registro civil, o coletor de impostos,
[o mordomo da Santa Casa e o administrador
[do cemitério de S. João Batista
Cavaram com enxadas
Com pás
Com as unhas
Com os dentes
Cavaram uma cova mais funda que o meu suspiro
[de renúncia
Depois me botaram lá dentro
E puseram por cima
As Tábuas da Lei

Mas de lá de dentro do fundo da treva do chão da cova
Eu ouvia a vozinha da Virgem Maria
Dizer que fazia sol lá fora
Dizer i n s i s t e n t e m e n t e
Que fazia sol lá fora.

## Oração no Saco de Mangaratiba

Nossa Senhora me dê paciência
Para estes mares para esta vida!
Me dê paciência pra que eu não caia
Pra que eu não pare nesta existência
Tão mal cumprida tão mais comprida
Do que a restinga de Marambaia!...

**1926**

## O major

O major morreu.
Reformado.
Veterano da guerra do Paraguai.
Herói da ponte do Itororó.

Não quis honras militares.
Não quis discursos.

Apenas
À hora do enterro
O corneteiro de um batalhão de linha
Deu à boca do túmulo
O toque de silêncio.

# Cunhantã

Vinha do Pará.
Chamava Siquê.
Quatro anos. Escurinha. O riso gutural da raça.
Piá branca nenhuma corria mais do que ela.

Tinha uma cicatriz no meio da testa:
– Que foi isto, Siquê?
Com voz de detrás da garganta, a boquinha tuíra:
– Minha mãe (a madrasta) estava costurando
Disse vai ver se tem fogo
Eu soprei eu soprei eu soprei não vi fogo
Aí ela se levantou e esfregou com minha cabeça
na brasa

Riu, riu, riu

Uêrêquitáua.
O ventilador era a coisa que roda.
Quando se machucava, dizia: Ai Zizus!

**1927**

# Oração a Teresinha do Menino Jesus

Perdi o jeito de sofrer.
Ora essa.
Não sinto mais aquele gosto cabotino da tristeza.
Quero alegria! Me dá alegria,
Santa Teresa!
Santa Teresa não, Teresinha...
Teresinha... Teresinha...
Teresinha do menino Jesus.

Me dá alegria!
Me dá a força de acreditar de novo
No
Pelo Sinal
Da Santa
Cruz!
Me dá alegria! Me dá alegria,
Santa Teresa!...
Santa Teresa não, Teresinha...
Teresinha do menino Jesus.

# Andorinha

Andorinha lá fora está dizendo:
– "Passei o dia à toa, à toa!"

Andorinha, andorinha, minha cantiga é mais triste!
Passei a vida à toa, à toa...

# Profundamente

Quando ontem adormeci
Na noite de São João
Havia alegria e rumor
Estrondos de bombas luzes de Bengala
Vozes cantigas e risos
Ao pé das fogueiras acesas.

No meio da noite despertei
Não ouvi mais vozes nem risos
Apenas balões
Passavam errantes
Silenciosamente
Apenas de vez em quando
O ruído de um bonde
Cortava o silêncio
Como um túnel.
Onde estavam os que há pouco
Dançavam
Cantavam
E riam
Ao pé das fogueiras acesas?

– Estavam todos dormindo
Estavam todos deitados
Dormindo
Profundamente

*

Quando eu tinha seis anos
Não pude ver o fim da festa de São João
Porque adormeci

Hoje não ouço mais as vozes daquele tempo
Minha avó
Meu avô
Totônio Rodrigues
Tomásia
Rosa
Onde estão todos eles?

– Estão todos dormindo
Estão todos deitados
Dormindo
Profundamente.

## Madrigal tão engraçadinho

Teresa você é a coisa mais bonita que eu vi até hoje
[na minha vida, inclusive o porquinho-da-índia
[que me deram quando eu tinha seis anos.

# Noturno da Parada Amorim

O violoncelista estava a meio do Concerto de
[Schumann

Subitamente o coronel ficou transportado e começou
[a gritar: – *Je vois des anges! Je vois*
[*des anges!* – E deixou-se escorregar
[sentado pela escada abaixo.

O telefone tilintou.
Alguém chamava?... Alguém pedia socorro?...

Mas do outro lado não vinha senão o rumor de um
[pranto desesperado!...

(Eram três horas.
Todas as agências postais estavam fechadas.
Dentro da noite a voz do coronel continuava
[gritando: – *Je vois des anges!*
[*Je vois des anges!*)

# Na boca

Sempre tristíssimas estas cantigas de carnaval
Paixão
Ciúme
Dor daquilo que não se pode dizer

Felizmente existe o álcool na vida
E nos três dias de carnaval éter de lança-perfume
Quem me dera ser como o rapaz desvairado!
O ano passado ele parava diante das mulheres bonitas
E gritava pedindo o esguicho de cloretilo:
– Na boca! Na boca!
Umas davam-lhe as costas com repugnância
Outras porém faziam-lhe a vontade.

Ainda existem mulheres bastante puras para fazer
[vontade aos viciados

Dorinha meu amor...

Se ela fosse bastante pura eu iria agora gritar-lhe
[como o outro:
– Na boca! Na boca!

## Macumba de Pai Zusé

Na macumba do Encantado
Nego véio pai de santo fez mandinga
No palacete de Botafogo
Sangue de branca virou água
Foram vê estava morta!

# Noturno da Rua da Lapa

A janela estava aberta. Para o quê, não sei, mas o que entrava era o vento dos lupanares, de mistura com o eco que se partia nas curvas cicloidais, e fragmentos do hino da bandeira.

Não posso atinar no que eu fazia: se meditava, se morria de espanto ou se vinha de muito longe.

Nesse momento (oh! por que precisamente nesse momento?...) é que penetrou no quarto o bicho que voava, o articulado implacável, implacável!

Compreendi desde logo não haver possibilidade alguma de evasão. Nascer de novo também não adiantava. – A bomba de flit! pensei comigo, é um inseto!

Quando o jacto fumigatório partiu, nada mudou em mim; os sinos da redenção continuaram em silêncio; nenhuma porta se abriu nem fechou. Mas o monstruoso animal FICOU MAIOR. Senti que ele não morreria nunca mais, nem sairia, conquanto não houvesse no aposento nenhum busto de Palas, nem na minh'alma, o que é pior, a recordação persistente de alguma extinta Lenora.

# Cabedelo

Viagem à roda do mundo
Numa casquinha de noz:
Estive em Cabedelo.
O macaco me ofereceu cocos.

Ó maninha, ó maninha,
Tu não estavas comigo!...

– Estavas?...

**1928**

## Irene no céu

Irene preta
Irene boa
Irene sempre de bom humor.

Imagino Irene entrando no céu:
– Licença, meu branco!
E São Pedro bonachão:
– Entra, Irene. Você não precisa pedir licença.

# Palinódia

Quem te chamara prima
Arruinaria em mim o conceito
De teogonias velhíssimas
Todavia viscerais

Naquele inverno
Tomaste banhos de mar
Visitaste as igrejas
(Como se temesses morrer sem conhecê-las todas)
Tiraste retratos enormes
Telefonavas telefonavas...

Hoje em verdade te digo
Que não és prima só
Senão prima de prima
Prima-dona de prima
– Primeva.

## Namorados

O rapaz chegou-se para junto da moça e disse:
– Antônia, ainda não me acostumei com o seu corpo,
[com a sua cara.

A moça olhou de lado e esperou.

– Você não sabe quando a gente é criança e de
[repente vê uma lagarta listada?

A moça se lembrava:
– A gente fica olhando...

A meninice brincou de novo nos olhos dela.

O rapaz prosseguiu com muita doçura:

– Antônia, você parece uma lagarta listada.

A moça arregalou os olhos, fez exclamações.

O rapaz concluiu:

– Antônia, você é engraçada! Você parece louca.

## Vou-me embora pra Pasárgada

Vou-me embora pra Pasárgada
Lá sou amigo do rei
Lá tenho a mulher que eu quero
Na cama que escolherei
Vou-me embora pra Pasárgada

Vou-me embora pra Pasárgada
Aqui eu não sou feliz
Lá a existência é uma aventura
De tal modo inconsequente
Que Joana a Louca de Espanha
Rainha e falsa demente
Vem a ser contraparente
Da nora que nunca tive

E como farei ginástica
Andarei de bicicleta
Montarei em burro brabo
Subirei no pau de sebo
Tomarei banhos de mar!
E quando estiver cansado
Deito na beira do rio
Mando chamar a mãe-d'água
Pra me contar as histórias
Que no tempo de eu menino

Rosa vinha me contar
Vou-me embora pra Pasárgada

Em Pasárgada tem tudo
É outra civilização
Tem um processo seguro
De impedir a concepção
Tem telefone automático
Tem alcaloide à vontade
Tem prostitutas bonitas
Para a gente namorar

E quando eu estiver mais triste
Mas triste de não ter jeito
Quando de noite me der
Vontade de me matar
– Lá sou amigo do rei –
Terei a mulher que eu quero
Na cama que escolherei
Vou-me embora pra Pasárgada.

## O impossível carinho

Escuta, eu não quero contar-te o meu desejo
Quero apenas contar-te a minha ternura
Ah se em troca de tanta felicidade que me dás
Eu te pudesse repor
– Eu soubesse repor –
No coração despedaçado
As mais puras alegrias de tua infância!

## Poema de finados

Amanhã que é dia dos mortos
Vai ao cemitério. Vai
E procura entre as sepulturas
A sepultura de meu pai.

Leva três rosas bem bonitas.
Ajoelha e reza uma oração.
Não pelo pai, mas pelo filho:
O filho tem mais precisão.

O que resta de mim na vida
É a amargura do que sofri.
Pois nada quero, nada espero.
E em verdade estou morto ali.

# O último poema

Assim eu quereria o meu último poema

Que fosse terno dizendo as coisas mais simples e
[menos intencionais
Que fosse ardente como um soluço sem lágrimas
Que tivesse a beleza das flores quase sem perfume
A pureza da chama em que se consomem os
[diamantes mais límpidos
A paixão dos suicidas que se matam sem explicação.

# Cronologia

**1886**
A 19 de abril, nasce Manuel Carneiro de Souza Bandeira Filho, em Recife. Seus pais, Manuel Carneiro de Souza Bandeira e Francelina Ribeiro de Souza Bandeira.

**1890**
A família se transfere para o Rio de Janeiro, depois para Santos, São Paulo e novamente para o Rio de Janeiro.

**1892**
Volta para Recife.

**1896-1902**
Novamente no Rio de Janeiro, cursa o externato do Ginásio Nacional, atual Colégio Pedro II.

**1903-1908**
Transfere-se para São Paulo, onde cursa a Escola Politécnica. Por influência do pai, começa a estudar arquitetura. Em 1904, doente (tuberculose), volta ao Rio de Janeiro para se tratar. Em seguida, ainda em tratamento, reside em Campanha, Teresópolis, Maranguape, Uruquê e Quixeramobim.

**1913**
Segue para a Europa, para tratar-se no sanatório de Clavadel, Suíça. Tenta publicar um primeiro livro, *Poemetos melancólicos*, de poemas em parte extraviados no sanatório quando o poeta retorna ao Brasil.

**1916**
Morre a mãe do poeta.

**1917**
Publica o primeiro livro, *A cinza das horas*.

**1918**

Morre a irmã do poeta, sua enfermeira desde 1904.

**1919**

Publica *Carnaval.*

**1920**

Morre o pai do poeta.

**1922**

Em São Paulo, Ronald de Carvalho lê o poema "Os sapos", de *Carnaval*, na Semana de Arte Moderna. Morre o irmão do poeta.

**1924**

Publica *Poesias*, que reúne *A cinza das horas*, *Carnaval* e *O ritmo dissoluto*.

**1925**

Começa a escrever para o "Mês Modernista", página dos modernistas em *A Noite*.

Exerce a crítica musical nas revistas *A Ideia Ilustrada* e *Ariel*.

**1926**

Como jornalista, viaja por Salvador, Recife, João Pessoa, Fortaleza, São Luís e Belém.

**1928-1929**

Viaja a Minas Gerais e São Paulo. Como fiscal de bancas examinadoras, viaja para Recife. Começa a escrever crônicas para o *Diário Nacional*, de São Paulo, e *A Província*, do Recife.

**1930**

Publica *Libertinagem*.

**1935**

Nomeado pelo ministro Gustavo Capanema inspetor de ensino secundário.

**1936**

Publica *Estrela da manhã*, em edição fora de comércio.

Os amigos publicam *Homenagem a Manuel Bandeira*, com poemas, estudos críticos e comentários sobre sua vida e obra.

**1937**

Publica *Crônicas da Província do Brasil*, *Poesias escolhidas* e *Antologia dos poetas brasileiros da fase romântica*.

**1938**

Nomeado pelo ministro Gustavo Capanema professor de literatura do Colégio Pedro II e membro do Conselho Consultivo do Departamento do Patrimônio Histórico e Artístico Nacional.

Publica *Antologia dos poetas brasileiros da fase parnasiana* e o ensaio *Guia de Ouro Preto*.

**1940**

Publica *Poesias completas* e os ensaios *Noções de história das literaturas* e *A autoria das "Cartas chilenas"*.
Eleito para a Academia Brasileira de Letras.

**1941**

Exerce a crítica de artes plásticas em *A Manhã*, do Rio de Janeiro.

**1942**

Eleito para a Sociedade Felipe d'Oliveira. Organiza *Sonetos completos e poemas escolhidos*, de Antero de Quental.

**1943**

Nomeado professor de literatura hispano-americana na Faculdade Nacional de Filosofia. Deixa o Colégio Pedro II.

**1944**

Publica uma nova edição ampliada das suas *Poesias completas* e organiza *Obras poéticas*, de Gonçalves Dias.

**1945**

Publica *Poemas traduzidos*.

**1946**

Publica *Apresentação da poesia brasileira*, *Antologia dos poetas*

*brasileiros bissextos contemporâneos* e, no México, *Panorama de la poesía brasileña*.
Conquista o Prêmio de Poesia do IBEC.

### 1948

Publica *Mafuá do malungo: jogos onomásticos e outros versos de circunstância*, em edição fora de comércio, um novo volume de *Poesias escolhidas* e novas edições aumentadas de *Poesias completas* e *Poemas traduzidos*.
Organiza *Rimas*, de José Albano.

### 1949

Publica o ensaio *Literatura hispano-americana*.

### 1951

A convite de amigos, candidata-se a deputado pelo Partido Socialista Brasileiro, mas não se elege.
Publica nova edição, novamente aumentada, das *Poesias completas*.

### 1952

Publica *Opus 10*, em edição fora de comércio, e a biografia *Gonçalves Dias*.

### 1954

Publica as memórias *Itinerário de Pasárgada* e o livro de ensaios *De poetas e de poesia*.

### 1955

Publica *50 poemas escolhidos pelo autor* e *Poesias*. Começa a escrever crônicas para o *Jornal do Brasil*, do Rio de Janeiro, e *Folha da Manhã*, de São Paulo.

### 1956

Publica o ensaio *Versificação em língua portuguesa*, uma nova edição de *Poemas traduzidos* e, em Lisboa, *Obras poéticas*.
Aposenta-se compulsoriamente como professor de literatura hispano-americana da Faculdade Nacional de Filosofia.

### 1957

Publica o livro de crônicas *Flauta de papel* e a edição conjunta *Itinerário de Pasárgada/De poetas e de poesia*.
Viaja para Holanda, Inglaterra e França.

## 1958

Publica *Poesia e prosa* (obra reunida, em dois volumes), a antologia *Gonçalves Dias*, uma nova edição de *Noções de história das literaturas* e, em Washington, *Brief History of Brazilian Literature*.

## 1960

Publica *Pasárgada*, *Alumbramentos* e *Estrela da tarde*, todos em edição fora de comércio, e, em Paris, *Poèmes*.

## 1961

Publica *Antologia poética*. Começa a escrever crônicas para o programa *Quadrante*, da Rádio Ministério da Educação.

## 1962

Publica *Poesia e vida de Gonçalves Dias*.

## 1963

Publica a segunda edição de *Estrela da tarde* (acrescida de poemas inéditos e da tradução de *Auto sacramental do Divino Narciso*, de Sóror Juana Inés de la Cruz) e a antologia *Poetas do Brasil*, organizada em parceria com José Guilherme Merquior. Começa a escrever crônicas para o programa *Vozes da cidade*, da Rádio Roquette-Pinto.

## 1964

Publica em Paris o livro *Manuel Bandeira*, com tradução e organização de Michel Simon, e, em Nova York, *Brief History of Brazilian Literature*.

## 1965

Publica *Rio de Janeiro em prosa & verso*, livro organizado em parceria com Carlos Drummond de Andrade, *Antologia dos poetas brasileiros da fase simbolista* e, em edição fora de comércio, o álbum *Preparação para a morte*.

## 1966

Recebe, das mãos do presidente da República, a Ordem do Mérito Nacional.
Publica *Os reis vagabundos e mais 50 crônicas*, com organização de Rubem Braga, *Estrela da vida inteira* (poesia completa) e o livro de crônicas *Andorinha, andorinha*, com organização de Carlos Drummond de Andrade.

Conquista o título de Cidadão Carioca, da Assembleia Legislativa do Estado da Guanabara, e o Prêmio Moinho Santista.

## 1967

Publica *Poesia completa e prosa*, em volume único, e a *Antologia dos poetas brasileiros da fase moderna*, em dois volumes, organizada em parceria com Walmir Ayala.

## 1968

Publica o livro de crônicas *Colóquio unilateralmente sentimental*. Falece a 13 de outubro, no Rio de Janeiro.

# Bibliografia básica sobre Manuel Bandeira

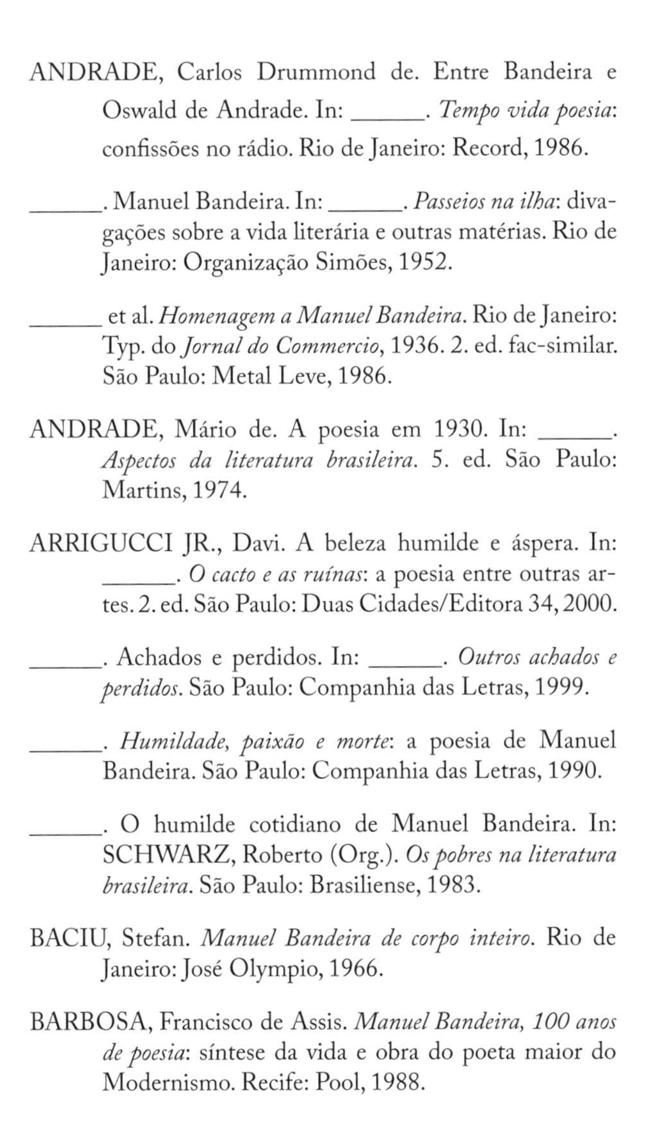


ANDRADE, Carlos Drummond de. Entre Bandeira e Oswald de Andrade. In: ______. *Tempo vida poesia*: confissões no rádio. Rio de Janeiro: Record, 1986.

______. Manuel Bandeira. In: ______. *Passeios na ilha*: divagações sobre a vida literária e outras matérias. Rio de Janeiro: Organização Simões, 1952.

______ et al. *Homenagem a Manuel Bandeira*. Rio de Janeiro: Typ. do *Jornal do Commercio*, 1936. 2. ed. fac-similar. São Paulo: Metal Leve, 1986.

ANDRADE, Mário de. A poesia em 1930. In: ______. *Aspectos da literatura brasileira*. 5. ed. São Paulo: Martins, 1974.

ARRIGUCCI JR., Davi. A beleza humilde e áspera. In: ______. *O cacto e as ruínas*: a poesia entre outras artes. 2. ed. São Paulo: Duas Cidades/Editora 34, 2000.

______. Achados e perdidos. In: ______. *Outros achados e perdidos*. São Paulo: Companhia das Letras, 1999.

______. *Humildade, paixão e morte*: a poesia de Manuel Bandeira. São Paulo: Companhia das Letras, 1990.

______. O humilde cotidiano de Manuel Bandeira. In: SCHWARZ, Roberto (Org.). *Os pobres na literatura brasileira*. São Paulo: Brasiliense, 1983.

BACIU, Stefan. *Manuel Bandeira de corpo inteiro*. Rio de Janeiro: José Olympio, 1966.

BARBOSA, Francisco de Assis. *Manuel Bandeira, 100 anos de poesia*: síntese da vida e obra do poeta maior do Modernismo. Recife: Pool, 1988.

______. Manuel Bandeira, estudante do Colégio Pedro II. In: ______. *Achados do vento*. Rio de Janeiro: Ministério da Educação e Cultura/Instituto Nacional do Livro, 1958.

BEZERRA, Elvia. *A trinca do Curvelo*: Manuel Bandeira, Ribeiro Couto e Nise da Silveira. Rio de Janeiro: Topbooks, 1995.

BRASIL, Assis. *Manuel e João*: dois poetas pernambucanos. Rio de Janeiro. Imago, 1990.

BRAYNER, Sônia (Org.). *Manuel Bandeira*. Rio de Janeiro: Civilização Brasileira; Brasília: Instituto Nacional do Livro, 1980.

CANDIDO DE MELLO E SOUZA, Antonio. Carrossel. In: ______. *Na sala de aula*: caderno de análise literária. São Paulo: Ática, 1985.

______; MELLO E SOUZA, Gilda de. Introdução. In: BANDEIRA, Manuel. *Estrela da vida inteira*: poesias reunidas. Rio de Janeiro: José Olympio, 1966.

CARPEAUX, Otto Maria. Bandeira. In: ______. *Ensaios reunidos*: 1942-1968. Rio de Janeiro: UniverCidade/ Topbooks, 1999.

______. Última canção – vasto mundo. In: ______. *Origens e fins*. Rio de Janeiro: Casa do Estudante do Brasil, 1943.

CASTELLO, José Aderaldo. Manuel Bandeira – sob o signo da infância. In: ______. *A literatura brasileira*: origens e unidade. São Paulo: Edusp, 1999. v. 2.

COELHO, Joaquim-Francisco. *Biopoética de Manuel Bandeira*. Recife: Massangana, 1981.

______. *Manuel Bandeira pré-modernista*. Rio de Janeiro: José Olympio; Brasília: Instituto Nacional do Livro, 1982.

CORRÊA, Roberto Alvim. Notas sobre a poesia de Manuel Bandeira. In: ______. *Anteu e a crítica*: ensaios literários. Rio de Janeiro: José Olympio, 1948.

COUTO, Ribeiro. *Três retratos de Manuel Bandeira*. Organização de Elvia Bezerra. Rio de Janeiro: Academia Brasileira de Letras, 2004.

ESPINHEIRA FILHO, Ruy. *Forma e alumbramento*: poética e poesia em Manuel Bandeira. Rio de Janeiro: José Olympio/Academia Brasileira de Letras, 2004.

FONSECA, Edson Nery da. *Alumbramentos e perplexidades*: vivências bandeirianas. São Paulo: Arx, 2002.

FREYRE, Gilberto. A propósito de Manuel Bandeira. In: ______. *Tempo de aprendiz*. São Paulo: Ibrasa; Brasília: Instituto Nacional do Livro, 1979.

______. Dos oito aos oitenta. In: ______. *Prefácios desgarrados*. Rio de Janeiro: Cátedra; Brasília: Instituto Nacional do Livro, 1978. v. 2.

______. Manuel Bandeira em três tempos. In: ______. *Perfil de Euclides e outros perfis*. 2. ed. aumentada. Rio de Janeiro: Record, 1987. 3. ed. revista. São Paulo: Global, 2011.

GARBUGLIO, José Carlos. *Roteiro de leitura*: poesia de Manuel Bandeira. São Paulo: Ática, 1998.

GARDEL, André. *O encontro entre Bandeira e Sinhô*. Rio de Janeiro: Secretaria Municipal de Cultura/ Departamento Geral de Documentação e Informação Cultural/Divisão de Editoração, 1996.

GOLDSTEIN, Norma Seltzer. *Do penumbrismo ao Modernismo*: o primeiro Bandeira e outros poetas significativos. São Paulo: Ática, 1983.

______ (Org.). *Traços marcantes no percurso poético de Manuel Bandeira*. São Paulo: Humanitas, 2005.

GOYANNA, Flávia Jardim Ferraz. *O lirismo antirromântico em Manuel Bandeira*. Recife: Fundarpe, 1994.

GRIECO, Agrippino. Manuel Bandeira. In: ______. *Poetas e prosadores do Brasil*: de Gregório de Matos a Guimarães Rosa. Rio de Janeiro: Conquista, 1968.

GUIMARÃES, Júlio Castañon. *Manuel Bandeira*: beco e alumbramento. São Paulo: Brasiliense, 1984.

______. *Por que ler Manuel Bandeira*. São Paulo: Globo, 2008.

IVO, Lêdo. *A república da desilusão*: ensaios. Rio de Janeiro: Topbooks, 1994.

______. Estrela de Manuel. In: ______. *Poesia observada*: ensaios sobre a criação poética e matérias afins. 2. ed. São Paulo: Duas Cidades, 1978.

______. *O preto no branco*: exegese de um poema de Manuel Bandeira. Rio de Janeiro: São José, 1955.

JUNQUEIRA, Ivan. Humildade, paixão e morte. In: ______. *Prosa dispersa*: ensaios. Rio de Janeiro: Topbooks, 1991.

______. *Testamento de Pasárgada*. Rio de Janeiro: Nova Fronteira, 1980. 3. ed. São Paulo: Global, 2014.

KOSHIYAMA, Jorge. O lirismo em si mesmo: leitura de "Poética" de Manuel Bandeira. In: BOSI, Alfredo (Org.). *Leitura de poesia*. São Paulo: Ática, 1996.

LIMA, Rocha. *Dois momentos da poesia de Manuel Bandeira*. Rio de Janeiro: José Olympio, 1992.

LOPEZ, Telê Porto Ancona (Org.). *Manuel Bandeira*: verso e reverso. São Paulo: T. A. Queiroz, 1987.

MARTINS, Wilson. Bandeira e Drummond... In: ______. *Pontos de vista*: crítica literária 1954-1955. São Paulo: T. A. Queiroz, 1991. v. 1.

______. Manuel Bandeira. In: ______. *A literatura brasileira*: o Modernismo. São Paulo: Cultrix, 1965. v. 6.

MERQUIOR, José Guilherme. O Modernismo e três dos seus poetas. In: ______. *Crítica 1964-1989*: ensaios sobre arte e literatura. Rio de Janeiro: Nova Fronteira, 1990.

MILLIET, Sérgio. *Panorama da moderna poesia brasileira*. Rio de Janeiro: Ministério da Educação e Saúde/ Serviço de Documentação, 1952.

MONTEIRO, Adolfo Casais. *Manuel Bandeira*. Rio de Janeiro: Ministério da Educação e Cultura/Serviço de Documentação, 1958.

MORAES, Emanuel de. *Manuel Bandeira*: análise e interpretação literária. Rio de Janeiro: José Olympio, 1962.

MOURA, Murilo Marcondes de. *Manuel Bandeira*. São Paulo: Publifolha, 2001.

MURICY, Andrade. Manuel Bandeira. In: ______. *A nova literatura brasileira*: crítica e antologia. Porto Alegre: Globo, 1936.

______. Manuel Bandeira. In: ______. *Panorama do movimento simbolista brasileiro*. 2. ed. Brasília: Conselho Federal de Cultura/Instituto Nacional do Livro, 1973. v. 2.

PAES, José Paulo. Bandeira tradutor ou o esquizofrênico incompleto. In: ______. *Armazém literário*: ensaios. São Paulo: Companhia das Letras, 2008.

______. Pulmões feitos coração. In: ______. *Os perigos da poesia e outros ensaios*. Rio de Janeiro: Topbooks, 1997.

PONTIERO, Giovanni. *Manuel Bandeira*: visão geral de sua obra. Tradução de Terezinha Prado Galante. Rio de Janeiro: José Olympio, 1986.

ROSENBAUM, Yudith. *Manuel Bandeira*: uma poesia da ausência. São Paulo: Edusp; Rio de Janeiro: Imago, 1993.

SENNA, Homero. Viagem a Pasárgada. In: ______. *República das letras*: 20 entrevistas com escritores. 2. ed. revista e ampliada. Rio de Janeiro: Gráfica Olímpica, 1968.

SILVA, Alberto da Costa e. Lembranças de um encontro. In: ______. *O pardal na janela*. Rio de Janeiro: Academia Brasileira de Letras, 2002.

SILVA, Beatriz Folly e; LESSA, Maria Eduarda de Almeida Vianna. *Inventário do arquivo Manuel Bandeira*. Rio de Janeiro: Fundação Casa de Rui Barbosa, 1989.

SILVA, Maximiano de Carvalho e. *Homenagem a Manuel Bandeira*: 1986-1988. Niterói: Sociedade Sousa da Silveira; Rio de Janeiro: Monteiro Aranha/Presença, 1989.

SILVEIRA, Joel. Manuel Bandeira, 13 de março de 1966, em Teresópolis: "Venham ver! A vaca está comendo as flores do Rodriguinho. Não vai sobrar uma.

Que beleza!". In: ______. *A milésima segunda noite da avenida Paulista e outras reportagens*. São Paulo: Companhia das Letras, 2003.

VILLAÇA, Antonio Carlos. M. B. In: ______. *Encontros*. Rio de Janeiro/Brasília: Editora Brasília, 1974.

______. Manuel, Manu. In: ______. *Diário de Faxinal do Céu*. Rio de Janeiro: Lacerda, 1998.

XAVIER, Elódia F. (Org.). *Manuel Bandeira*: 1886-1986. Rio de Janeiro: UFRJ/Antares, 1986.

XAVIER, Jairo José. *Camões e Manuel Bandeira*. Rio de Janeiro: Ministério da Educação e Cultura/ Departamento de Assuntos Culturais, 1973.

# Índice de primeiros versos

# Índice

## Conheça outros livros de Manuel Bandeira publicados pela Global Editora:

### **A cinza das horas**

Obra de estreia de Manuel Bandeira, *A cinza das horas* veio a lume em 1917 em tiragem reduzida, e seus processos de edição e distribuição foram acompanhados de perto pelo autor. Concebidos ao longo da juventude, os poemas deste livro evidenciam um escritor em formação que vislumbra como ideal o afeiçoamento pelas agruras da condição humana, como a solidão, as dores do amor e a morte.

Diagnosticado com tuberculose ainda jovem, Manuel Bandeira seguiu para a estância suíça de Clavadel, em 1913, para tratamento. Essa viagem marcou o estilo e a lírica do jovem poeta, e algumas das composições mais soturnas deste livro foram escritas durante sua estadia. A fleuma e a melancolia de algumas composições são uma amostra do diálogo que ele estabeleceria naquele momento com a poesia simbolista, destacado no poema "A Antônio Nobre". Educado na tradição clássica, Bandeira homenageia no poema "A Camões" o poeta de *Os Lusíadas*, obra maior da lírica em língua portuguesa, evidenciando sua formação na escola da forma fixa, com que romperia já em 1919, com o livro *Carnaval*.

Obra da aurora criativa de um jovem escritor que depurava seu espírito e seu estilo, exercícios que o levariam a consagrar-se como poeta essencial da literatura brasileira, *A cinza das horas* marca o momento de transição da poesia brasileira, que apenas cinco anos mais tarde veria emergir o Modernismo.

## Estrela da manhã

*Estrela da manhã*, publicado pela primeira vez em 1936, reafirma a posição assumida pelo poeta a partir de *Libertinagem*, seu livro anterior: a linguagem irônica alcançando a plenitude do coloquial, as nuanças de humor trágico, a insistência na poética de ruptura com a tradição, a exploração do folclore negro, o tema do "poeta sórdido", o interesse pela vertente social, a insuspeitada nostalgia da pureza.

O livro reúne alguns dos poemas mais importantes de Bandeira, a começar pelo que dá título ao livro, que se inicia pela quadra: "Eu quero a estrela da manhã/ Onde está a estrela da manhã?/ Meus amigos meus inimigos/ Procurem a estrela da manhã", e termina com o apelo doloroso: "Procurem por toda parte/ Pura ou degradada até a última baixeza/ Eu quero a estrela da manhã".

Em "Oração a Nossa Senhora da Boa Morte", o poeta revela sua religiosidade de sabor popular, tão brasileira. "Balada das três mulheres do sabonete Araxá" é uma variante moderna e um tanto irreverente de um poema famoso de Luís Delfino, "As três irmãs". Outros momentos marcantes do volume são o sintético e obsessivo "Poema do beco" ("Que importa a paisagem, a Glória, a baía, a linha do horizonte?/ – O que eu vejo é o beco"), "Momento num café", "Tragédia brasileira", "Conto cruel", "Rondó dos cavalinhos", "Marinheiro triste", estrelas de primeira grandeza da poesia brasileira.

## Estrela da tarde

*Estrela da tarde* é livro da maturidade, publicado quando o poeta começava a meditar com mais profundidade na passagem desta vida para o outro lado do mistério e se mostrava convicto de ter cumprido bem a difícil missão de viver. Não é de se estranhar, pois, a presença mais ou menos obsessiva da morte, saudada com reverência, conformismo e curiosidade. "O meu dia foi bom, pode a noite descer,/ (A noite com os seus sortilégios)", sintetiza Bandeira no poema "Consoada".

Bandeira compõe criações que tem como tema grandes amigos perdidos como Mário de Andrade e Jayme Ovalle, o que, de certa forma, realça ainda mais a presença da morte. Símbolo da vida e da arte literária, revelando a paixão do poeta pela tradição, o soneto ocupa um lugar especial nesta coleção de poemas. Basta ler "Mal sem mudança" e "Sonho branco".

Ao lado da tradição, o poeta se arrisca em tentadoras experiências na mais radical corrente poética da época: o concretismo. Os poemas concretos do livro demonstram a lucidez e a curiosidade vivíssima de Bandeira. *Estrela da tarde*, com sua preocupação pela morte, simbolicamente se contrapõe a plenitude de vida de *Estrela da manhã*, encerrando um ciclo de extraordinária força criadora, com o poeta purificado em espírito, esperançoso de uma vida mais alta: "Sou nada, e entanto agora/ Eis-me centro finito/ Do círculo infinito/ De mar e céus afora./ – Estou onde está Deus".